DasMitterna

Georg Januszewski

Eine seltsame Gespenstergeschichte

htsgeheimnis

C. Bertelsmann Verlag, München

Über den Dächern der Stadt standen dicke, schwarze Regenwolken. Die Sonne hatte sich versteckt, und der Regen klatschte auf die Dächer, die Bäume und die Straße. Der Wind blies so stark, daß die Tropfen gegen die Fensterscheiben prasselten. Auf der Straße sammelte sich das Regenwasser in großen Pfützen. Wenn dann ein Auto durchfuhr, wurden die Fußgänger, die dastanden oder vorbeigingen, von oben bis unten angespritzt. Im Dämmerlicht saßen die Vögel aufgeplustert unter den Dachsimsen und warteten, bis der Regen wieder aufhören würde. Dann könnten sie wieder herumfliegen und Mücken fangen, um ihre hungrigen Mägen zu füllen.

Hinter einem der vielen, vielen Fenster dieser Stadt stand ein kleiner Junge und sah dem Regen beim Regnen zu. Er hieß Bernhard und mochte den Regen. Der wusch die Häuser und die Straßen sauber. Gerne wäre er draußen gewesen, aber weil der Wind so kalt und unfreundlich um die Hausecken blies, blieb er lieber hinter dem Fenster im Warmen. Bei seinen Spielsachen. Und er hörte dem Lied des Regens zu.

Als er genug zugesehen und zugehört und seine Nase an der Fensterscheibe platt gedrückt hatte, setzte er sich wieder an seinen Baukasten. Nach einer Vorlage steckte er eine alte Dampflokomotive zusammen. Er setzte Stein auf Stein. Gelbe auf grüne und blaue neben rote. Er baute so emsig, daß er sich beinahe auf die Zunge gebissen hätte.

In einer der Zimmerecken, über dem Kinderbett, hingen bunt auf Pappe gedruckt Asterix und Obelix und sahen dem Jungen beim Spielen zu. Auf dem Bett, am Kopfkissen, saß ein Teddybär und wartete auf den Abend. Da würde Bernhard ihn mit sich unter die Bettdecke nehmen, und sie könnten gemeinsam von Abenteuern in Afrika und China träumen. In einer anderen Ecke stand ein Kasperltheater. Kasperle und Krokodil, Seppel und der Polizist lagen noch müde von der letzten Vorstellung in einer Schachtel daneben.

Vom Kirchturm läuteten die Abendglocken zur Messe. Der Regen zog weiter, und die Vögel flogen wieder kreischend den Mücken hinterher. Als Bernhard der Lokomotive den Schornstein aufsetzen wollte, hörte er an der Wohnungstüre einen Schlüsselbund rasseln. Das mußte Mutter sein, die aus dem Krankenhaus nach Hause kam. Nein, krank war sie nicht gewesen. Sie arbeitete dort als Krankenschwester. Mit einem weißen Kittel und blauer Bluse und gestärktem Häubchen. Vielleicht würde Bernhard einmal Arzt werden und auch im Krankenhaus arbeiten und den kranken Menschen helfen, wieder gesund zu werden.

Bernhard ließ sein Spielzeug liegen und lief auf den Flur. Und dort stand seine Mutter auch. In der einen Hand einen Regenschirm, in der anderen eine vollgestopfte Einkaufstasche. Beinahe hätte Bernhard seine Mutter umgeworfen, so stürmisch war seine Begrüßung. Lachend gingen beide in die Küche.

Heute würde Vater zurückkommen. Er war Fernfah-

rer. Er fuhr mit einem dicken Brummer, einem Dreißig-
tonner-Sattelschlepper, über die Autobahnen. Von Norden nach Süden und von Osten nach Westen und auch
wieder zurück. Manchmal hatte er Bananen geladen oder
Äpfel, wenn im Norden noch keine Früchte an den Bäumen hingen. Oder er hatte Möbel und vollgepackte Ki-
sten im Laderaum, die von einer Stadt in die andere gebracht werden mußten. Weil Straßen so lang sind und der
Süden so weit entfernt vom Norden liegt und der Osten
so weit vom Westen, war Bernhards Vater manchmal
lange unterwegs. Zwei oder drei Tage oder gar vier. Da
schlief er dann hinter dem Fahrersitz auf einem kleinen
Bett anstatt zu Hause bei seiner Familie.

So freute er sich immer wieder, wenn er nach Hause
kam zu seiner Frau und zu seinem Sohn. Dann saßen sie
zu dritt am Küchentisch und aßen gemeinsam Nacht-
mahl, Frühstück und Mittagessen. Deswegen hatte Mutter auch so viel eingekauft. Bier und Käse, Fleisch und
Brot. Kartoffeln hatte sie noch zu Hause gehabt.

Bernhard dachte, es müsse lustig sein, Fernfahrer zu
sein. Hoch oben hinter dem Lenkrad zu sitzen und unter
sich die Straße vorbeiziehen zu sehen. Aber sein Vater erzählte immer wieder, daß sein Beruf sehr anstrengend sei
und daß die Landschaft neben der Autobahn, von der
Bernhard so schwärmte, gar nicht schön sei. Abenteuer
gäbe es auch keine zu bestehen so wie bei Huckleberry
Finn oder bei Marco Polo in China. Er erzählte vielmehr
von häßlichen Unfällen, vom Regen, der das Fahren er-

schwerte, und von Pannen, die seinen Zeitplan durchein-
anderbrachten. Aber wenn Bernhard älter sein würde,
dürfte er schon selbst einmal mitfahren und selbst erle-
ben, was es heißt, Fernfahrer zu sein. Und dann könnte
er sich entscheiden, ob der Beruf toll sei oder nicht.

Bernd, so nannten ihn seine Eltern, wenn sie gute
Laune hatten, grübelte vor sich hin mit glänzenden
Augen und roten Wangen. Mutter hatte schon zu kochen
begonnen. Und ihm die Kartoffeln zum Schälen vor die
Nase gestellt. Dann mußte er noch Zwiebeln schneiden
und nachher den Tisch decken. Bernd half gerne in der
Küche. Seine Mutter war müde, und er konnte ihr die
Arbeit abnehmen. Außerdem lernte er dabei kochen,
das wollte er für später auf jeden Fall können.

Das Essen war fertig und stand zum Warmhalten im
Ofen. Der Tisch war gedeckt; Bernhard hatte sich mit
Mutter vor den Fernseher gesetzt, und beide warteten auf
den Vater. Der kam um acht Uhr nach Hause. Vier Tage
war er auf Tour gewesen und war froh, wieder zu Hause
zu sein, wenn auch nur für ein paar Tage. Am Montag
mußte er wieder auf die Autobahn.

Die drei gingen in die Küche und setzten sich an den
Tisch. Mutter holte das Essen aus dem Rohr, Vaters
Lieblingsgericht, Krautwickel mit Petersilienkartoffeln.
Und während sie aßen, erzählte Bernd mit vollen Backen,
was er so alles erlebt hatte, während Vater fort gewesen
war. Vom Streit auf dem Spielplatz; davon, daß er einen
neuen Freund gefunden hatte; er zeigte seine Verletzung

am Knie, die stark geblutet hatte, und erzählte stolz, daß er nicht geweint hatte. Weil er ja schon bald erwachsen sei, und da weint man eben nicht mehr.

Nach dem Essen gab es noch Kaffee für die Eltern, und Bernd hörte zu, wie sein Vater von der Autobahn erzählte. Vom Regen, von einem Freund, den er ewig lange nicht mehr gesehen hatte, von einem Streit in einer Fernfahrerkneipe, in den er zufällig verwickelt worden war. Wie Bernhard so zuhörte, glaubte er immer noch, daß Fernfahrer ein schöner und abenteuerlicher Beruf sei. Nur sein Vater würde das eben nicht so richtig verstehen können.

Bernd fielen schon die Augen zu, obwohl er noch zuhören wollte. Aber seine Mutter schickte ihn ins Bett.

»Morgen erzähle ich dir noch mehr von der Autobahn und vom Norden und Süden und vom Westen und Osten«, sagte Vater. Er hob ihn vom Sessel, setzte ihn auf seine Schultern und ging mit ihm ins Kinderzimmer. Beinahe hätte Bernd sich den Kopf am Türstock angeschlagen, so müde war er schon. Mutter kam hinter ihnen her, nahm ihn von Vaters Schultern, legte ihn ins Bett und deckte ihn zu. Sie gab ihm einen Gutenachtkuß und schob den Teddy zu ihm unter die Decke. Vater strich ihm noch einmal durchs Haar und kniff ihn lachend in die Nase. Dann gingen beide aus dem Zimmer, löschten das Licht und schlossen leise die Tür.

Bevor Bernd einschlief, dachte er noch fest an die Autobahn und an Fernfahrerkneipen, in denen sich Männer prügelten. Er würde dann durch den Eingang kommen, so wie sein Vater oder gar wie Zorro oder Ben Cartwright von der Ponderosa. Dann würde er den Streit schlichten, und alle würden ihm danken, und er würde von der Bedienung eine eiskalte Zitronenlimonade geschenkt bekommen und vielleicht sogar Kuchen oder Gummibärchen.

Und dann träumte er auch schon. Er stieg aus seinem feuerwehrroten Lastauto und streckte seinen von der langen Fahrt müden Rücken. Hungrig und durstig war er, deswegen ging er zur Kneipe hinüber. Da hörte er Lärm von drinnen. Kurz blieb er stehen, schob seine Schultern nach hinten und ging mit festem Schritt auf den Eingang zu. Forsch stieß er die Tür auf und trat in den Gastraum.

Vier Männer rauften miteinander. Sie schlugen mit den Fäusten aufeinander ein und traten einander mit den Füßen. Der Wirt stand ängstlich hinter dem Tresen, die Serviermädchen drückten sich im finstersten Winkel an die Wand; die meisten Gäste feuerten die Raufbolde mit lauten Zurufen an. Bernhard trat fest auf den Boden und rief so laut er konnte, sie sollten aufhören zu raufen, sonst würde er ihnen zeigen, wo der Teufel und seine Großmutter wohnten.

Einer von den Fernfahrern blickte hoch und sah den Jungen an. Zuerst war der Mann sehr erstaunt, doch dann zeigte er mit seinem Finger auf Bernd und begann laut zu lachen.

»Was will denn der Dreikäsehoch hier bei uns?« fragte er, während ihm vor lauter Lachen die Tränen über die Wangen liefen und er sich den Bauch halten mußte. Da hörten die anderen auch zu raufen auf und sahen dorthin, wohin der Finger des einen deutete. Da mußten auch sie lachen.

»Was will denn der da?« – »Wo kommst denn du her?« riefen sie laut durcheinander. »Seht euch doch den dort an.«

Bernd war erschrocken und verärgert zugleich. Fragend blickte er in die Runde und versuchte, ein böses Gesicht zu machen. Aber die anderen hörten nicht zu lachen auf, und sogar der Wirt bog sich vor Lachen und hatte gar keine Angst mehr. Da entdeckte Bernd sein Spiegelbild hinterm Tresen und erkannte, warum alle plötzlich so lustig waren. Er war kein Zorro im schwarzen Gewand, kein Ben Cartwright. Er war der kleine Bernd, der im Nachthemd und ohne Schuhe dastand, hilflos und verloren. Plötzlich war er gar nicht mehr so mutig und dreist, sondern schämte sich und wollte am liebsten im Erdboden verschwinden. Tränen stiegen ihm in die Augen, so sehr ärgerte er sich über seine Dummheit. Wütend drehte er sich um und lief aus der Kneipe. Hinaus zu seinem roten Auto. Er sprang in das Fahrerhaus hinter das Lenkrad, startete und fuhr so schnell er nur konnte fort.

Wie froh war Bernhard, wieder in seinem feuerwehrroten Lastauto zu sitzen und durch den Sonnenschein zu fahren. Von dem Streit hörte er nichts mehr und wollte auch gar nichts mehr von Recht und Ordnung hören. Dabei wußte er gar nicht, daß die Männer tatsächlich zu streiten aufgehört hatten und noch immer lachten und sich auf Schenkel und Schultern klopften. Er fuhr durch den Sommer, vorbei an Kirschbäumen, an denen prächtige rote, reife Kirschen hingen. Er hielt an, um sich seine Mütze zu füllen, legte sie neben sich auf den Sitz und fuhr weiter. Wie schmeckten diese Kirschen gut! Die Kerne spuckte er auf die Straße. Hier würde schon niemand auf ihnen ausrutschen.

Plötzlich sah Bernhard am Straßenrand ein wunderschönes Mädchen stehen. Sie war ganz in Weiß gekleidet, und ihr Haar glänzte golden. Sie winkte, und er bremste sein Lastauto und blieb neben ihr stehen. Das muß eine Prinzessin sein, dachte Bernd und öffnete das Fenster, um sie zu fragen, ob er ihr helfen könnte. Aber als er sah, daß sie weinte, stieg er aus und versuchte sie zu trösten. Sie erzählte, daß sie wirklich eine Prinzessin sei von einem großen fernen Königshof, daß sie verloren gegangen sei und ganz dringend nach Hause müsse, weil ihre Klavierstunde nun bald anfangen würde.

Weil Bernd noch nie auf einem Königshof war, und schon gar nicht auf einem großen, bot er der Prinzessin an, sie nach Hause zu bringen. Glücklich lachte das Mädchen wieder, und beide stiegen in das rote Auto ein und fuhren los. Unterwegs erzählte die Prinzessin von zu Hause. Vom Königshof, von den vielen Menschen, die dort lebten, von den Köchen, von den Gärtnern und

Stallknechten, von den Zofen und Dienern. Bernd kam aus dem Staunen nicht mehr heraus und vergaß seinen Mund zuzumachen, bis ihm die Prinzessin eine Kirsche hineinsteckte.

Der König war sehr froh, als seine Tochter wieder zurückkam. Er ordnete sofort ein großes Fest an, Bernd zu Ehren. Doch der lehnte ab, weil er wieder weiter mußte, ohne zu wissen, wohin. So verlieh ihm der König einen riesengroßen goldenen Orden und ernannte ihn zum königlichen Obsttransporteur.

Bernhard fuhr weiter über die sieben Berge zu den sieben Zwergen. Er hatte eine Ladung schönster königlicher Äpfel mit, die er den Zwergen und Schneewittchen schenken wollte, damit sie keine mehr von bösen Hexen zu kaufen brauchten. Er wollte ihnen auch versprechen, später noch einmal vorbeizukommen, um ihnen Mehl und Backpulver zu bringen, damit sie viele, viele Apfelkuchen backen könnten.

Wie Bernhard so im Traum über die Autobahn fuhr, hörte er plötzlich einen Schlüsselbund rasseln. Erstaunt schaute er sich um, doch weit und breit war niemand zu sehen. Dann schlug auch noch eine Kirchturmuhr zwölfmal. Da merkte er, daß er gar nicht mehr träumte, sondern aufrecht in seinem Bettchen saß. Ihn schauderte. Mitten in der Geisterstunde war er aufgewacht!

Da hörte er, wie das Haustor aufgeschlossen wurde und jemand die Holztreppe im Hausflur hochstieg. Wie anders sich das alles in der Nacht anhörte, wenn die Welt still war. Bernhard horchte angestrengt. Der Jemand stieg bis zum letzten Stockwerk hoch. Vielleicht war es der Alte, der in der Mansarde unter dem Dachboden wohnte; Bernd kannte ihn vom Park her, weil er manchmal zusah, wenn der alte Mann dort Schach spielte.

Der Junge wollte sich schon wieder in sein Bett kuscheln, als dieser Jemand wieder die Treppe herunterkam. Jede einzelne Stufe knackte laut. Bernd wunderte sich, daß nicht das ganze Haus wach wurde. Der Jemand blieb stehen, und, flopp, warf er etwas durch einen Briefschlitz. Dann ging er weiter, ein Stockwerk tiefer. Diesmal konnte Bernd zweimal dieses »flopp« hören. Im zweiten Stock wieder »flopp«, »flopp«. Bernd hielt den Atem an. Die Schritte kamen nun in den ersten Stock, wo er selbst wohnte.

War das der Weihnachtsmann, der Geschenke verteilte? Aber der kam doch durch den Kamin, wenn er überhaupt noch kam. Doch einen Kamin gab es nicht in der Wohnung, nur Ölöfen, und was sollte ein Weihnachtsmann in einem Ölofen tun? Dort konnte er keine Geschenke verstecken, weil die niemand fand. Auch würde er sich sehr schmutzig machen, viel mehr als in einem richtigen Kamin. Und außerdem war gar nicht Weihnachten, sondern Juni, und zu dieser Zeit war der Weihnachtsmann ja bekanntlich in Grönland.

In Bernds Wohnung hatte der Mann nichts geworfen, nur bei des Nachbarn Tür war das »flopp« zu hören gewesen. Dann wieder Stiegenknarren; die Haustüre schlug zu. Vielleicht ein Spion? Rasch zog Bernd sich die Decke über den Kopf. Nicht weil er Angst hatte, nein, er wollte nur mit so einer Sache nichts zu tun haben.

Wie er so unter der warmen Decke lag, schlief er wieder ein und träumte weiter von Prinzessinen und von Autobahnen und vom Sommer.

Am nächsten Morgen standen weiße Schäfchenwolken am Himmel, und die Sonne schien so kräftig sie nur konnte. Der Tag versprach warm zu werden, und Bernd konnte wieder auf den Spielplatz gehen. Dort würde er seinen neuen Freund treffen. Dem könnte er dann Vaters Sattelschlepper zeigen, der vor der Haustüre parkte. Er war stolz, daß sein Vater ein so großes Lastauto fuhr und der Vater seines Freundes nur einen Lieferwagen.

Sie erzählten einander dann, was ihre Väter so alles erlebten, wenn sie unterwegs waren. Da gab es viel zu prahlen. Sie logen einander auch an, um ihre Väter besser zu machen, als sie waren, damit sie noch stolzer auf sie sein konnten. Aber wenn sie dann genug geflunkert hatten, gingen sie wieder zurück auf den Spielplatz, um Fußball zu spielen oder mit Murmeln zu gitschen.

Bernhard war gerne auf dem Spielplatz. Zwischen zwei Häusern lag ein leeres Grundstück, von Sträuchern und einer Hecke umwachsen. Ein Baum stand auch da, auf dem die Kinder klettern konnten. Vor vielen Jahren hatte hier auch ein Haus gestanden. Der Keller war noch vorhanden. Nur waren die Eingänge zum Keller zugemauert worden. Bernd war sicher, daß tausend Geheimnisse mit eingemauert worden waren, an die er und seine Freunde nun nicht mehr herankamen. Sie konnten keine vergrabenen Schätze finden. Dabei waren sie alle sicher, daß dort kostbare Schätze lagen. Vielleicht wohnten dort auch Geister und Zauberer. Oder Gespenster trieben in den modrigen Gewölben ihr Unwesen. Wer weiß? Bernd wollte so gerne einmal Gespenster kennenlernen. Wenigstens eines, wenn es auch noch so alt und abgeschunden war.

Aber wahrscheinlich gab es in der Stadt keine Gelegenheiten mehr, etwas Unentdecktes zu finden. Die Müllmänner trugen ja alles weg. Die dunklen Keller, in denen Geheimnisse zu entdecken gewesen wären, waren alle versperrt. Und in den neuen Häusern waren die Keller so gebaut, daß sich in keiner Ecke etwas hätte verkriechen können. Eine seiner Großmütter wohnte in so einem neuen Haus. Er war schon einige Male mit ihr im Keller gewesen und hatte genau nachgesehen. Aber dort gab's nichts zu finden. Ruinen gab es auch keine mehr, und die Geister und Zwerge wohnten jetzt sicher lieber außerhalb der Stadt, wo es nicht so schmutzig und so laut war.

Bernhards Eltern behaupteten, es gäbe gar keine Zwerge und Zauberer mehr. Und auch keine Gespenster. Aber vielleicht wußten sie nur nichts davon, oder sie wollten ihm nichts sagen. Wer weiß, warum sie ihm nichts von den Wesen erzählten, die er aus den Märchen kannte. Er glaubte fest an sie. Vielleicht waren sie nur nicht mehr so angezogen wie früher, so wie sie in den Büchern beschrieben waren. Sein Vater sagte doch so oft, daß sich die Zeiten änderten und mit ihnen die Menschen. Also hatten sich sicher auch die Feen und Kobolde geändert.

Wenn Bernhard mit seiner Mutter einkaufen ging, gab er immer acht, ob er jemand treffen würde, der ein Geist war. Die Gemüsefrau zum Beispiel. War sie eine Hexe? Sie schielte ein ganz klein wenig und hatte auch eine Warze auf der Nase. In ihrem Laden roch es seltsam. Aber Bernd konnte nirgendwo einen verrußten Kochkessel entdecken und keine versteckten Zauberzeichen an den Wänden.

Vielleicht waren Hexen älter als die Gemüsefrau. Wo aber wohnten Hexen, bis sie alt genug waren, um wirkliche Hexen zu sein?

Der Mann im Krämerladen hatte weiße Haare und einen Buckel. Aber auch hier konnte Bernd nichts Gespenstisches entdecken. Keine Gläser, die aussahen wie Zaubergläser, und auch keine Kristallkugeln. Auf der Schulter hatte der Mann keinen Raben sitzen und auch keine schwarze Katze mit feurigen Augen, so groß wie Wagenräder. Bernd wußte zwar nicht, wie Zaubergläser auszusehen hatten, aber er war ganz sicher, daß sie nicht so aussahen wie jene, die auf den Regalen standen. Nur hinter dem Laden war ein kleines Kämmerchen, in das man nicht genau hineinsehen konnte. Dort war es dunkel, man konnte nur noch ein paar Regale erkennen, auf denen irgend etwas stand. Vielleicht lag dort auch die

Katze und wollte nicht herauskommen, weil sie sonst die Kunden erschreckt hätte mit ihren großen Augen. Dann hätte der Krämer nichts mehr verdient und wäre vielleicht sogar verhungert. Einmal würde Bernd fragen, ob er in das Kämmerchen hineinsehen dürfe, wenn niemand im Laden war.

Im Supermarkt wohnten gewiß keine Kobolde. Da konnten sich die Zeiten ändern, wie sie wollten. Eingezwängt zwischen Seifenkartons und Plastiktüten würden Kobolde sicher nicht leben wollen. Zwar hatte die Mutter Bernd einmal die Geschichte vom Kartoffelkönig vorgelesen, der in einem Keller wohnte. Im Keller war Bernhard gewesen. Dort gab es gar keine Kartoffeln und schon gar keinen König. Er hatte nur Spinnen und Ratten gefunden, und die mochte er nicht, weil die sich nicht fangen ließen und weil er mit ihnen nicht spielen konnte. Mutter hatte auch gesagt, die seien gefährlich und würden beißen.

Bernhard hatte seine Freunde vom Spielplatz gefragt, ob deren Eltern Kartoffeln im Keller hätten. Doch sie meinten nein und waren neugierig, warum er das wissen wollte. Er erzählte ihnen vom Kartoffelkönig. Aber sie lachten ihn nur aus. Und behaupteten, so etwas gäbe es bestimmt nicht. Seit damals sprach Bernhard mit niemandem mehr über Geister und Kobolde. Nur sein Teddybär verstand ihn, wenn er es auch nicht sagen konnte. Auch Asterix und Obelix verstanden ihn und die Puppen aus dem Kasperletheater. Denn die Geschichte mit dem

Kartoffelkönig mußte doch wahr sein, sonst wäre sie doch nicht aufgeschrieben worden. Sie spielte wohl in einer anderen Stadt.

Wenn die Erwachsenen nicht an Geister und Feen und Zauberer glauben wollten, blieben diese für sie eben unerkannt, denn sie wollten sicher nicht mit den Erwachsenen streiten. Einmal hatte Bernhard gehört, der Glaube könne Berge versetzen; er wußte aber nicht, wie so etwas funktionieren sollte. Er konnte sich nicht vorstellen, daß man sich nur vor einen Berg zu stellen und stark nachzudenken brauchte, und der Berg würde zu wandern anfangen. Ein paarmal hatte er ähnliches bei den Sonntagsspaziergängen versucht. Aber es war ihm nicht gelungen, selbst den kleinsten Hügel zum Wandern zu bringen.

Er war sicher noch zu klein dazu. Oder er hatte sich nie Zeit genug genommen oder nicht stark genug gedacht. Seine Eltern lachten ihn auch immer aus, wenn er so dastand und einen Hügel anstarrte, als sei er ein Weltwunder. Vielleicht war er wirklich noch zu jung fürs Bergeversetzen und für Wunder. Aber an Geister glaubte er ganz fest und auch daran, daß ihm eines Tages so jemand begegnen würde. Dann würde er mit diesem Geist reden und ihn über alles Geheimnisvolle auf dieser Welt ausfragen können. Und ihn bitten, ihm drei Wünsche zu erfüllen.

Wie jeden Sonntag gingen Bernhards Eltern mit ihm draußen vor der Stadt spazieren. Er mochte die Bäume, die Wiesen und die Tiere. Aber am meisten den Wald.

Hier roch es am besten, und der Wind rauschte so schön geheimnisvoll in den Baumwipfeln. Im Wald gab es auch mehr Verstecke als auf der Wiese, wo jeder überall hingucken konnte. Diesmal fand Bernd eine finstere Höhle, in die er gerne hinuntergestiegen wäre, um sie zu erforschen. Sicher gab es dort etwas zu entdecken, was jahrelang niemand gesehen hatte. Aber sein Vater verbot ihm hinunterzusteigen. Das sei zu gefährlich, und zu finden sei dort sicher nichts, hatte er gesagt.

Bestimmt seien dort noch Granaten aus dem Krieg oder tote Tiere, an denen sich Bernd vergiften würde, oder welche, die noch lebten und ihn beißen könnten. So etwas wäre überhaupt nichts für kleine Jungens, hatte der Vater gesagt.

Und ob das etwas für ihn gewesen wäre! Marco Polo war sogar bis nach China gereist und war wieder heil zurückgekommen. Diese Höhle war nur ein paar Kilometer von zu Hause entfernt und sicher nicht tief. Er müßte auch keine Meere überqueren und nicht mit Drachen kämpfen. Aber sein Vater hatte ihm verboten, in die Höhle hinunterzusteigen, und Bernd wollte nicht, daß sein Vater böse auf ihn war, und deswegen folgte er, wenn auch widerwillig.

Es war verzwickt. Jetzt, wo Bernhard noch klein war und an Gespenster und Schätze glaubte, durfte er nicht nach ihnen suchen. Wenn er erst einmal älter wurde und tun und lassen konnte, was er wollte, würde er bestimmt nicht mehr an so etwas glauben können, so, wie seine Eltern nicht mehr daran glauben konnten. Dann aber würde alles Suchen keinen Sinn mehr haben. Die Geister würden bis dahin sicher auch schon umgezogen und noch schwerer zu finden sein, weil sich die Zeiten ja auch wieder geändert haben würden. Es war wirklich verzwickt.

Weil der Tag so schön war und die Sonne so warm schien, blieb die Familie bis zum Sonnenuntergang draußen vor der Stadt. Als sie zu Hause waren, mußte Bernd sich gleich waschen und dann ins Bett gehen. Er war froh, bald wieder träumen zu können von all den Dingen, die er tagsüber nicht tun durfte.

Die nächsten Abende war Bernhard alleine in der Wohnung. Sein Vater fuhr über die Autobahnen, vom Norden in den Süden und vom Osten in den Westen, und seine Mutter hatte die Woche über Nachtschicht im Krankenhaus. Da erinnerte er sich wieder an das Schlüsselrasseln und an die Schritte im Hausflur. Die letzten zwei Tage hatte er nichts gehört. Vielleicht war er zu müde gewesen und hatte zu fest geschlafen. Aber diese Nacht wollte er aufpassen, ob dieser Jemand wieder kam. Um wach zu bleiben, redete er mit dem Teddy und den Kasperlefiguren. Doch bevor die Turmuhr neun geschlagen hatte, war er eingeschlafen.

Um Mitternacht, als die Uhr zwölf schlug, wurde er aber plötzlich wieder wach. Wie beim erstenmal hörte Bernd das Rasseln am Haustor und das Knarren der Treppenstufen. Schlaftrunken stieg er aus dem Bett. Seine Augen waren verklebt, und ungeschickt stolperte er über seine Schuhe und stieß sich auf dem Weg zum Flur an der Zimmertüre. Dann warf er noch den Schirmständer um. Wegen des Lärms, den er machte, spürte er so etwas wie Angst. Was er da tat, hatte er noch nie getan. Er spionierte. So mußte das Gefühl sein, wenn man in unbekannte Höhlen einsteigt. Er hielt den Atem an, weil er glaubte, der Jemand könnte ihn hören und davonlaufen, wenn er Bernhard entdeckte. So leise er nur konnte, schlich er zur Wohnungstüre und öffnete vorsichtig den Briefschlitz. Nun konnte er rechts ein paar Stufen erkennen und die Nachbartüre gegenüber, ohne selbst gesehen zu werden. Genau im richtigen Moment war er an der Tür angekommen, denn er hörte, wie der Jemand die Treppe wieder herunterstieg.

Bernhard sah einen alten Mann mit langen weißen Haaren und einem struppigen Bart. Um seine Schultern hing ein zerschlissener Mantel, der schon hundert Jahre alt sein mußte. Unter den Arm geklemmt hatte er ein Bündel Zeitungen und in der Hand einen riesengroßen Schlüsselbund.

So sah Bernhard zum erstenmal den Mann, der Zeitungsausträger war.

Enttäuscht schlich Bernd zurück in sein Bett. Hatte er gehofft, etwas Besonderes zu sehen? Einen maskierten Einbrecher oder einen Spion mit einer Pistole oder vielleicht ein Gespenst mit dem Kopf unter dem Arm? Auf keinen Fall nur einen alten Mann, der Zeitungen austrug. Er kroch wieder unter die noch warme Decke zu seinem

Teddy. Da wollte er doch lieber von seinem feuerwehrroten Lastauto und von Fahrten durch das Märchenland
träumen.

Aber Bernhard träumte von dem Mann, der Zeitungsausträger war. Das Erlebnis war doch zu aufregend gewesen, um es einfach wieder zu vergessen. Als er am
nächsten Morgen aufwachte, war er ziemlich durcheinander, weil er nicht mehr genau wußte, was er nun geträumt hatte und was nicht. Da war der Mann mit den
Zeitungen und die Höhle, in die er im Traum doch hinuntergestiegen war; dort hatte er den Zeitungsmann getroffen. Er war im Krämerladen gewesen, und hinter dem
Ladentisch war wieder der Mann gestanden. Am Spielplatz war er auch gewesen, und dann war er in den zuge-
mauerten Kellern verschwunden.

Plötzlich wurde Peter ganz aufgeregt. War dieser
Mann vielleicht ein Gespenst? Er war doch während der
Geisterstunde gekommen. Und vielleicht hatte er sich
Bernhard nur im Traum zu erkennen geben wollen. Die
Mainzer Heinzelmännchen waren auch in der Nacht zum
Schuster gekommen. Wenn er nur erfahren könnte, wer
der Mann war.

Als Bernhard auf den Spielplatz ging, traf er vor dem
Haustor den Hausmeister, der den Bürgersteig kehrte.
Der konnte vielleicht wissen, wer dieser Mann war. Er
wußte auch sonst so viel. Zum Beispiel wer eine Fensterscheibe eingeschlagen hatte, obwohl ganz sicher niemand
zugesehen hatte. Der kannte sich im Keller und auf dem

Dachboden aus. Und schließlich hatte er auf das Haus aufzupassen und mußte wissen, wer da ein- und ausging, noch dazu in der Nacht und mit einem eigenen Schlüssel.

Unschlüssig blieb Bernhard vor dem Hausmeister stehen und trat verlegen von einem Bein auf das andere. Er wußte nicht, wie er anfangen sollte. Aber der Mann hatte wohl gemerkt, daß Bernd etwas auf dem Herzen hatte. Er hörte auf zu kehren und lehnte sich auf den Besen.

»Na, Kleiner?« fragte er freundlich mit tiefer Stimme. In seinem Mund wackelte eine Pfeife. »Was kann ich für dich tun?«

Bernd druckste herum: »Ich habe . . . ich wollte . . .« Er wußte nicht, was er sagen sollte.

»Schickt dich deine Mutter? Oder hast du etwas kaputt gemacht?« Der Hausmeister hob seine Augenbrauen und versuchte, drohend dreinzusehen.

»Nein, nein«, stammelte Bernd, »ich wollte nur wissen, wer . . . wer der Mann ist, der die Zeitungen austrägt.«

»Ach so«, brummte der Hausmeister. Er wischte sich die Hände an der Hose ab und dachte nach. »Den kenne ich gar nicht, den hab ich noch nie gesehen, daß ist . . . irgend jemand.« Er wollte weiterkehren.

Aber Bernd war nicht zufrieden mit der Antwort. »Und . . .«, fragte er leise noch einmal, »Sie wissen auch nicht, wo er herkommt?«

Das wußte der Hausmeister auch nicht, aber er wollte

Bernhard keine Antwort schuldig bleiben und den lästigen Frager wieder loswerden: »Der kommt von irgendwoher oder vielleicht von noch woanders.« Und drehte Bernd den Rücken zu und kehrte kopfschüttelnd weiter.

›Der weiß doch nicht alles‹, dachte Bernd und ging enttäuscht davon.

An der Ecke frage er einen Polizisten: »Entschuldigen, Sie, Herr Polizist . . .«

»Was darf's denn sein?« fragte der.

»Ich . . . möchte wissen . . . wer der Mann ist, der bei uns die Zeitungen austrägt«, stotterte Bernhard, »der mit den weißen langen Haaren und dem hundert Jahre alten Mantel.«

Aber der Polizist wußte auch keine Anwort. In der Stadt gab es viele alte Männer mit weißen Haaren, weshalb sollte er eben diesen kennen?

Warum denn Bernd das unbedingt wissen müsse, fragte der Polizist. Aber der Bub wollte nicht mehr ausgelacht werden, bedankte sich der Höflichkeit wegen und ging weiter.

Die Frau im Zeitungskiosk mußte doch auch viel wissen bei den vielen Zeitungen, die täglich um sie herum lagen. Er stellte sich vor die Ständer, tat so, als ob er schon lesen könne und interessiert die Schlagzeilen studierte. Er wartete, bis niemand die Frau ablenkte, und fragte sie dann. Die Zeitungsfrau war aber nur unfreundlich und wußte auch keine Antwort. Kein Wunder, daß sie so sauer war. Sagte Bernhards Vater nicht oft, wenn er die

Zeitung las, man müsse schier verzweifeln? Und wie viele Zeitungen die erst zu lesen hatte! Wie verzweifelt die erst sein mußte!

Mißmutig lief Bernhard die Straße entlang. Er wollte nicht Fußball mit den anderen spielen, auch nicht Murmeln gitschen. Er wollte nicht einmal an der Baustelle den Arbeitern beim Arbeiten zu sehen, was er sonst so gerne tat. Ihn beschäftigte nur eine Frage: Wer war der Mann, der die Zeitungen austrug? Einmal wollte er von seiner Mutter wissen, wo die Ponderosa-Ranch lag, und seine Mutter sagte, die liege in Amerika. Und er wollte wissen, wo Asterix und Obelix herkamen. Die waren aus Frankreich und Marco Polo aus Italien. Aber wo der Alte herkam, der zwischen ihnen lebte, wußte niemand. Der Hausmeister hatte gesagt, er käme von woanders her. Aber Bernhard war der festen Überzeugung, daß der von noch viel weiter kommen mußte, wenn ihn niemand kannte.

Der Junge setzte sich auf die Treppe vor einem Haustor in die Sonne und überlegte, wen er sonst noch fragen könnte. Seine Mutter sollte von der Sache nichts erfahren. Sie würde sicher böse sein, daß er in der Nacht heimlich aufblieb, wenn sie nicht zu Hause waren. Seinen Vater konnte er also auch nicht fragen. Seine Spielkameraden wußten die Antwort sicher auch nicht und würden ihn nur auslachen und vielleicht sogar verpetzen.

Da hatte Bernhard einen Einfall. Sein Großvater hatte ihm schon so viele Gespenstergeschichten erzählt. Vielleicht wußte der Rat? Aber leider wohnte der Großvater in einer anderen Stadt und kam nur selten zu Besuch. Wenn er dann da war, gab es oft Streit zwischen ihm und Bernhards Eltern. Dann fuhr er bald wieder weg. Aber vorher ging er mit ihm spazieren. Kakao und Kuchen gab's dann in der Stammkonditorei, und wenn ein lustiger Film lief, gingen sie auch ins Kino. Großvater verwöhnte Bernd, weil er dessen Eltern ärgern wollte. Und viel, viel zu erzählen hatte er. Geschichten aus dem Krieg, von der Seefahrt, von Ungeheuern und von Reisen in ferne Länder.

Wenn Bernd auch manchmal glaubte, daß sein Großvater beim Erzählen flunkerte, so hörte er ihm doch gerne zu, und beide hatten ihre Freude. Wenn Bernd ihn nach seiner Heimat und nach seiner Kindheit fragte, sagte der Großvater, die Heimat liege weit, weit weg, und seine Kindheit sei schon so lange vorbei, daß er sich an nichts mehr erinnern könnte. Die Heimat besuchen wolle er auch nicht mehr, weil die Menschen dort auf ihn böse waren, und mit Menschen, die böse sind, wollte er nichts zu tun haben. Warum sie mit ihm böse waren, konnte Bernd nicht herausfinden.

Großvater konnte auch zaubern, konnte Geld aus der Hand verschwinden lassen und aus dem Ohr wieder hervorziehen. Oder zuerst die leere Hand herzeigen und dann plötzlich eine Tafel Schokolade in der Hand halten. Oder aus einem Paket Karten eine ziehen lassen, ohne hinzusehen, die Karte wieder unter die anderen mischen und nachher die gezogene herausfinden. Er kannte tausend Spiele und Tricks, die in keinen Büchern standen und die man auch nicht im Fernsehen sehen konnte. Er konnte unermüdlich Witze erzählen und Verse reimen und Rätsel aufgeben. Er war eben ein toller Großvater, der nur leider viel zu selten zu Besuch kam. Er war erst vor kurzem hier gewesen und würde so bald nicht wiederkommen.

Würde Bernhard also nie erfahren, wer der Mann war, der die Zeitungen austrug? Traurig stand er von der Treppe auf. Lustlos stieß er mit dem Fuß gegen die Hausmauer, die Hände tief in die Hosentaschen gestemmt. Er trieb ein Stück Papier, das jemand achtlos hatte fallen lassen, vor sich her. Sollten die Schuhe ruhig kaputt gehen! Er wollte jemanden ärgern, weil er sich selbst ärgerte. Er wollte irgend etwas zerstrümmern oder auf Vögel schießen oder einen Hund prügeln. Aber Mutter hatte ihm gesagt, er solle nie Tiere quälen, auch nicht, wenn er zornig war. Und auf seine Frage würde er so auch keine Antwort bekommen.

Da beschloß Bernhard, allen Mut zusammenzunehmen und den Mann zu fragen, ob er ein Geist war oder nicht. Aber hoffentlich verließ ihn nicht der Mut. Das erstemal in seinem Leben mit einem Gespenst zu reden, war schon eine aufregende Sache.

Bernhard war besonders früh ins Bett gegangen. Er hatte den Wecker auf halb zwölf gestellt, um rechtzeitig aufzuwachen. Aber vor lauter Aufregung konnte er kaum schlafen und wälzte sich von der einen Seite auf die andere. Irgendwann mußte er dann doch eingeschlafen sein.

Der Wecker rasselte. Bernd schreckte hoch. Verstört sah er sich im Zimmer um. Er schaute auf die Uhr. Halb zwölf vorbei. Er war rechtzeitig aufgewacht. Der Mond leuchtete zwischen den Vorhängen ins Zimmer und legte einen silbernen Balken auf den Fußboden. Im Haus war kein Laut zu hören, auf den Straßen war alles ruhig. Die Nacht bereitete sich auf die Geisterstunde vor.

Bernhard rieb sich die Augen. Schlaftrunken stieg er aus dem Bett. Ihn fror. Er zog sich einen Mantel über und schlich an die Wohnungstür. Im Flur stolperte er wieder über den Schirmständer, aber Licht wollte er nicht andrehen. Er hatte Angst, sich zu verraten.

Vor dem Briefschlitz kniete Bernhard nieder und hielt mit einer Hand die Klappe auf. Mit der anderen stützte er sich auf den Boden. Angestrengt starrte er in den dunklen Hausflur. Ihm war, als würde es immer stiller werden, als würden die Minuten immer länger und sein Herzschlag immer lauter. Er hielt den Atem an, aus Angst, man könnte ihn hören. Aber dann mußte er doch weiteratmen, und das Herz konnte er auch nicht abschalten. Seine Beine begannen zu schmerzen. Seine Hand, mit der er den Briefschlitz offenhielt, tat ihm weh. Plötzlich fürchtete er, nicht durchhalten zu können, bis der Mann, der Zeitungsausträger, kam. Aber er wollte nicht von der Türe weg. Um nichts in der Welt wollte er die Gelegenheit verpassen, mit einem Gespenst zu sprechen. Was würde seine Mutter sagen, wenn sie in der Früh nach Hause kommen würde und ihn tot an der Türe liegen sehen würde? Egal. Jetzt mußte er durchhalten.

Da hörte Bernhard plötzlich den Schlüsselbund rasseln. Ihm stockte der Atem. Jetzt war es soweit! Vor Aufregung stand ihm kalter Schweiß auf der Stirn, seine Handflächen waren feucht, und er zitterte am ganzen Körper. Im Flur ging das Licht an, und er hörte den schlurfenden Gang des Mannes. Dann das Knarren der Holzstufen. Ein Schatten kroch in den ersten Stock hoch, und ihm folgte der Alte. Er bog um die Ecke, kam direkt auf die Wohnungstüre zu, ging an ihr vorbei hinauf in den nächsten Stock.

Bernhard wollte rufen, aber über seine trockene Zunge kam nur ein ganz leiser Ton. So schwach, als würde eine Maus gähnen. Und das konnte der Alte sicher nicht hören. Er stapfte in den dritten Stock und dann in den vierten. Wieder war es für Sekunden still. In diese Stille schlug die Turmuhr zwölfmal. Da wollte Bernhard wieder weglaufen, sich in seinem Bett verkriechen und sich die Decke fest über den Kopf ziehen. Aber seine Beine waren eingeschlafen, und er konnte nicht aufstehen.

Als der zwölfte Schlag verklungen war, hörte er wieder das »flopp«, als die erste Zeitung durch den Briefschlitz fiel. Da faßte er neuen Mut. Er hatte sich doch so fest vorgenommen, den Mann zu fragen, wer er sei und woher er kam. Außerdem hatten sein Großvater und auch sein

Vater so oft gesagt, er sei kein Feigling, und die mußten doch recht haben. Also würde er hierbleiben und warten, bis der Mann wieder an der Wohnungstüre vorbeikam.

Die Treppe knarrte im dritten Stock – »flopp, flopp«! Zwei Zeitungen fielen durch die Briefschlitze. Peter murmelte vor sich hin, damit seine Stimme nicht wieder versagte. »Flopp«, eine Zeitung im zweiten Stock. Der Schatten kam die Treppe herunter, über den Treppenabsatz, die Wand hoch. Schritt für Schritt, Stufe um Stufe kam der Mann näher. Und Bernhard rief: »Hallo ... hallo ... hallo ...« Aber nicht einmal er selbst hörte seine Stimme.

»Flopp«, und der Alte warf eine Zeitung beim Nachbarn ein und stieg zum Erdgeschoß hinunter. Bernd war dem Weinen nahe. Er war so kurz vor seinem Ziel gewesen, und seine Stimme hatte versagt. Er, der sonst so laut schreien konnte, der so oft ermahnt worden war, nicht so laut zu reden, hatte kein einziges Wort über seine Lippen gebracht. Was für ein Waschlappen war er doch! Am liebsten wollte er im Erdboden versinken oder über glühende Kohlen laufen müssen.

Auf allen Vieren kroch Bernhard zurück in sein Zimmer. Seine Beine schmerzten, als wäre er an einem Tag den Himalaja hinauf- und wieder hinuntergegangen. Seine Hand tat ihm weh, und überhaupt war ihm elend zumute. Der Mann ging jetzt die Straße weiter und wußte nicht, daß Bernhard mit ihm hatte sprechen wollen. Sterben wollte er, aber ihm fiel nicht ein, wie er das hätte anstellen sollen. Einmal hatte er die Luft, solange es ging, angehalten, aber zuletzt mußte er dann doch weiteratmen, und alle anderen Arten zu sterben taten weh.

Da hatte er plötzlich die rettende Idee: Er war ja noch eine Nacht alleine zu Hause. Vater würde erst übermorgen nach Hause kommen, und Mutter hatte immer noch Nachtdienst. Also würde er sich die nächste Nacht einfach hinaus auf die Treppe setzen und auf den Mann warten. Der Alte mußte ihn sehen, und er mußte dann auch mit ihm reden. Jetzt war Bernd erst recht aufgeregt und konnte nur schwer einschlafen.

Der nächste Tag wollte und wollte nicht vergehen. Das Essen schmeckte ihm zwar nicht, aber Bernhard aß alles auf, damit seine Mutter nicht dachte, er sei krank. Vor lauter Ungeduld wußte er nichts mit sich anzufangen. Er wollte auf die Straße laufen und allen erzählen, daß er eine gute Idee hatte. Aber wer würde ihn schon verstehen? Und außerdem mußte er sein Geheimnis hüten. Wie war das doch schwer: Reden zu wollen, aber schweigen zu müssen. Schier platzen hätte er können. Mit dem Hausmeister, der im Flur das Messing putzte, konnte er nicht reden. Nicht mit dem Polizisten, der falsch parkenden Autos Zettel unter die Scheibenwischer klemmte. Nicht mit der Milchfrau und nicht mit der Gemüsefrau. Aber ihm schien, als ob die alle wissend lächeln würden. Vielleicht waren sie doch Geister und wußten alles, hatten sich mit dem Mann, der Zeitungsausträger war, schon längst abgesprochen.

Bernhard versuchte, die Sonne zu überreden, schneller über den Himmel zu ziehen. Aber sein Wille konnte erst recht keine Sonnen versetzen. Er wollte mit seinen Freunden auf dem Spielplatz Ball spielen, aber die schickten ihn wieder fort, weil er so unaufmerksam war. Die Baustelle brachte keine Ablenkung, alles ging einfach zu langsam. Aber endlich rutschte die Sonne hinter die Dachgiebel, endlich flogen die Stare über den Straßenfluchten nach Hause. Und um sechs Uhr war Bernhard schon todmüde. Hatte nicht seine Mutter manchmal gesagt, Aufregung mache müde, weil sie so anstrengend ist?

Um sieben konnte der Junge seine Augen nicht mehr offenhalten. Er hatte ja auch die letzten zwei Nächte nur wenig geschlafen, viel weniger als sonst. Seine Mutter war schon aus dem Haus, als er schlafen ging. Wieder stellte er den Wecker auf halb zwölf und legte sich sicherheitshalber angezogen ins Bett. Auch sagte er seinem Teddy und den Kasperlefiguren noch eindringlich, sie sollten ihn bestimmt wecken, wenn es soweit war. Er fürchtete, vor Müdigkeit nicht aufzuwachen. Diesmal mußte alles gutgehen, sonst würde es Wochen dauern, bis er eine Gelegenheit hatte, mit dem Alten zu sprechen. Und vielleicht kam dieser dann gar nicht mehr, und er hatte seine einzige Chance, ein Gespenst kennenzulernen, vertan.

Wieder rasselte der Wecker, wieder schien der Mond durch den Vorhang ins dunkle Zimmer und legte einen silbernen Balken auf den Fußboden. Es war Vollmond, die richtige Nacht für dieses Vorhaben. Bernhard stand auf, zog sich den Mantel an und strich dem Teddy über den Kopf. Dann ging er hinaus in den Flur. Die Turmuhr schlug Viertel vor zwölf. Bernd horchte in die Nacht. Würde der Alte heute kommen? Warum nicht? Warum gerade heute nicht?

Plötzlich mußte Bernd aufs Klo. Ging er, würde er den Alten sicher verfehlen! Dies war bestimmt nur eine Prüfung. Er wartete hinter der Tür. Die Turmuhr läutete die Geisterstunde ein, zuerst viermal, dann zwölfmal. Das Herz wollte ihm abwechselnd in die Hose fallen oder ihm im Hals zerspringen.

Vorsichtig öffnete er die Tür und schlich aus der Wohnung. Die Tür zog er leise hinter sich wieder zu. Als er das Schloß schnappen hörte, durchzuckte ihn ein Schreck. Wenn er jetzt keinen Schlüssel eingesteckt hatte, würde er nicht mehr zurück können. Dann müßte er bis zum Morgen im Stiegenhaus sitzen, alle Nachbarn würden erfahren, was er getan hatte, und seine Mutter würde fürchterlich schimpfen. Sie würde fragen, warum er draußen saß? Was sollte er ihr dann antworten? Die Wahrheit würde sie ihm nicht glauben, die würde ein Erwachsener nie verstehen können. Er griff in die Manteltasche. Allen guten Feen sei Dank, der Schlüssel war in seiner Tasche. Vorsorglich hatte er ihn schon mittags eingesteckt. Sicher war sicher. In der Aufregung hatte er das aber längst wieder vergessen.

Glücklich setzte sich Bernhard auf die Stufen. Gleich

würde der Alte kommen. Aber hoffentlich war es auch wirklich der Alte, der kam, und niemand anderes. Was sollte er dann tun? Davonlaufen? Wenn es jemand Böses war und er um Hilfe schreien mußte? Bernhard versuchte, sich zu beruhigen. Das Geräusch des Schlüsselbundes müßte er erkennen, und vor jemand anderem konnte er immer noch schnell in die Wohnung schlüpfen.

Bernhard starrte in die Finsternis. Nur wenig Mondlicht drang in den Hausflur. Unheimlich knackte das ganze Haus, als würden sich die Mauern Geschichten erzählen. Vielleicht lachten sie über ihn, weil er glaubte, mit einem Geist reden zu können. Die Risse im Verputz bewegten sich plötzlich. Es sah aus, als wären sie Beine von riesengroßen Spinnen, dann wieder Grimassen, die ihn zu schrecken versuchten. Irgendwo raschelte etwas. Eine Maus? Oder eine Ratte, die ihn beißen könnte? Immer wieder sah sich Bernd erschrocken um. Er glaubte, jemand würde ihn beobachten. Er schwitzte, und gleichzeitig lief ihm ein kalter Schauer über den Rücken. Seine Augen begannen zu tränen, weil er so angestrengt ins Dunkel starrte. Und trotz der großen Angst, die er hatte, mußte er gähnen.

Plötzlich schreckte Bernhard hoch. Die Kirchturmuhr schlug eins. Er mußte eingeschlafen sein. Er hatte die ganze Geisterstunde verschlafen! Der Alte war sicher dagewesen und an ihm vorbeigegangen, ohne ihn zu wecken. Wieder war alles umsonst gewesen. Diesmal konnte er seine Tränen nicht zurückhalten.

Bernhard stand auf und ging zur Wohnungstüre. Da ging das Licht im Treppenhaus an. Er wollte schnell in der Wohnung verschwinden. In der Eile fand er den Wohnungsschlüssel nicht. Die Schritte waren schon an der Treppe. Da erkannte er das Schlurfen wieder. Das war der Mann, der Zeitungsausträger! Bernds Herz schlug bis zum Hals.

Erstaunt blieb der Mann stehen. Bernhard schlug die Augen nieder, weil er nicht wußte, was er tun sollte.

Freundlich fragte der Alte: »Was tust du denn hier? Du hast ja geweint. Haben dich deine Eltern ausgesperrt?«

Bernhard schämte sich, daß er die Tränen nicht aus dem Gesicht gewischt hatte. Der Alte aber setzte sich auf die Treppe und versuchte, Bernd in die Augen zu sehen. Noch einmal fragte er, was denn los sei.

Bernhard schnupfte. »Ich bin . . . ich wollte . . .«, stotterte er, »ich habe auf dich . . . auf Sie gewartet.«

Der Mann mußte lachen. »Auf mich gewartet?«

»Ja, weil ich . . . weil ich wissen muß, ob Sie ein . . . Gespenst sind.« Wieder lachte der Mann.

»Ich mußte es einfach wissen, und niemand weiß es . . . ich habe jeden gefragt . . . und gestern haben Sie mich nicht gehört . . . und dann habe ich mich eben hergesetzt und bin eingeschlafen . . .«, stotterte Bernhard.

Der Zeitungsausträger zog den Jungen neben sich auf die Treppe. »Jetzt hol einmal tief Luft, zähle bis drei und erzähle mir alles noch einmal«, sagte der Alte. Er schneuzte sich die Nase und bot Bernd das Taschentuch an. Das war aber sehr schmutzig; er putzte seine Nase lieber mit dem Handrücken. Dann holte er tief Luft und erzählte alles von Anfang an.

Während Bernhard so erzählte, lächelte der Alte vor sich hin. Die Zeitungen hatte er neben sich gelegt. Von Zeit zu Zeit strich er sich nachdenklich durch den Bart. Dabei glänzten seine Augen, von tausend Fältchen umrahmt. Manchmal wollte er Bernhards Redeschwall stoppen und etwas erwidern oder richtigstellen, ließ aber dann den Jungen weitererzählen. Nur manchmal murmelte und brabbelte er in seinen Bart.

»Sag ruhig du zu mir«, meinte der Alte, als Bernhard geendet hatte. »Aber du hast mir nicht erzählt, warum du unbedingt wissen mußt, wer ich bin und woher ich komme.«

»Weil Sie . . . weil du ein . . . Gespenst bist«, platzte der Bub heraus. Rasch hielt er sich die Hand vor den Mund.

Der Mann schüttelte nur den Kopf und lächelte wieder. Er streckte Bernhard seine Hand entgegen: »Hier, greif mich an, ein Gespenst bin ich nicht.«

»Aber du kommst doch immer zwischen zwölf und eins, in der Geisterstunde?«

»Heute war ich später dran«, meinte der Alte.

›Das war schon richtig‹, dachte Bernhard. Aber er wollte nicht glauben, daß der Mann kein Geist war. Vielleicht mußten Gespenster nicht mehr so pünktlich sein wie früher.

»Aber sag mir doch, wer du bist und woher du kommst«, bettelte der Junge.

»Das würdest du nicht verstehen«, sagte der Alte.

Also doch ein Geist?

Der Alte lenkte ein: »Woher ich komme, kann ich dir nicht erklären, und wer ich bin, das siehst du ja: ein alter Mann, der Zeitungen austrägt.«

»Und du hast keinen Namen?«

»Früher einmal hatte ich einen, aber den habe ich längst vergessen«, meinte der Alte, »ich brauche auch gar keinen.«

»Wieso nicht?«

»Mir schreibt niemand Briefe, ich kenne kaum jemanden, der mich beim Namen rufen möchte, und für die wenigen, die mit mir reden, bin ich einfach der Alte. Ich komme eben von irgendwoher.«

»Oder von noch weiter«, sagte Bernd.

Und weil der Alte so gute Laune hatte und der Junge so neugierig war, setzte er sich zurecht und erzählte, was er so tat am Tag und in der Nacht. Er trug eben Zeitungen aus, um sich ein bißchen Geld zu verdienen. So konnte er sich eine Suppe kaufen und hin und wieder ein Gläschen Wein trinken. Er war schon so alt, daß ihm niemand mehr Arbeit geben wollte, und Rente bekam er auch keine, weil er nicht lange genug im Land gelebt hatte. Er war eben ein Fremder, aber er war nicht unzufrieden. Sein Leben gefiel ihm so, wie er es lebte.

Manchmal setzte er sich mit den alten Leuten zusammen, die in der Nacht nicht mehr schlafen konnten, und plauderte mit ihnen genauso wie jetzt mit Bernhard. Denn viele alte Menschen haben niemanden mehr auf dieser Welt, mit dem sie noch reden könnten über ihre Sorgen und Wünsche. Sie tauschten dann ihre Erinnerungen aus, ihnen fiel ein, was sie als Kinder alles angestellt hatten. Es kam dann schon mal vor, daß sie jemanden gemeinsam kannten oder schon mal wo gewesen waren, wo auch der andere gewesen war. Und dann gab's erst recht viel zu erzählen. Oft luden die alten Menschen ihn auch zu Kaffee und Kuchen ein. Oder sie gaben ihm ein Stück Käse oder Wurst mit und Brot. Manchmal auch eine Flasche Wein oder ein paar Groschen. Wenn Frühling oder Sommer war, brachte der Alte von draußen vor der Stadt Blumen mit. Manchmal spielte er auch Schach mit den alten Leuten oder las ihnen Briefe vor oder aus der Zeitung. Dann blieb er bis zum frühen Morgen sitzen, weil er die Menschen nicht alleine lassen wollte. Nachher mußte er sich aber sputen, die letzten Zeitungen auszutragen, bevor die Stadt erwachte und jemand merken konnte, daß er noch keine Zeitung hatte.

Während der Mann, der Zeitungsausträger war, so erzählte, schlief Bernhard ein. Sein Kopf lehnte an der Mauer, er hatte sich in den Mantel gekuschelt und die Hände unter den Armen versteckt.

Der Alte lächelte. Sanft weckte er den Jungen: »Jetzt mußt du aber ins Bett gehen. Bald kommt die Sonne, und du mußt richtig ausschlafen.«

Bernd rieb sich die Augen. Es war also doch kein Traum gewesen. Er hatte den Mann, der Zeitungsausträger war, kennengelernt und hatte mit ihm gesprochen.

Bernhard stand auf, sperrte die Wohnungstüre auf und ging in die Wohnung. Dann legte er sich ins Bett. Er schlief sofort ein und träumte. Der Alte aber hatte gewartet, bis Bernhard die Türe fest geschlossen hatte. Dann ging er weiter seinen Weg und verteilte die übrigen Zeitungen.

Die nächsten Tage ging Bernhard aufmerksam durch die Straßen. In der Nacht konnte er den Alten nicht mehr treffen. Sein Vater war wieder zu Hause und bald auch seine Mutter. Er wollte die Freundschaft dieses alten Mannes. Aber er fand ihn nirgends. Nur in der Nacht hörte er manchmal den Schlüsselbund rasseln, die Treppen knarren und das »flopp«, »flopp«, wenn die Zeitungen durch die Briefschlitze fielen. Manchmal stand er auf, ging zum Fenster und sah dem Mann nach, wie er sein Wägelchen mit den Zeitungen hinter sich her zog und um die Ecke bog.

Einmal legte Bernhard heimlich ein Wurstbrot vor die Türe. Der Mann hatte es sicher auch gefunden, denn am nächsten Morgen war es nicht mehr dort. Dann legte er ein paar Groschen vor die Türe, ein anderes Mal stellte er eine Flasche Wein hin, die er seinem Vater wegstibitzt hatte. Er lernte die Melodie, die der Alte leise vor sich hinpfiff, während er durch die Straßen und Häuser zog.

Bernhard behielt sein Geheimnis für sich. Es war nicht

für die Ohren seiner Freunde geeignet, nicht für den Hausmeister, nicht für den Polizisten an der Ecke und schon gar nicht für seine Eltern. Die hätten ihm gewiß verboten, weiter mit dem Mann zu sprechen oder sich auf die Treppe zu setzen mitten in der Nacht! Sie hatten doch so oft gesagt, er solle sich vor Fremden in acht nehmen. Der Mann, der Zeitungsausträger, war jedoch kein Fremder für ihn. Er hatte zwar schmutzige Hände, aber er roch nicht nach Alkohol, sondern nach Moder. Die Leute, die Mutter ihm gezeigt hatte und vor denen er sich in acht nehmen sollte, rochen alle nach Alkohol. Der Alte roch nach Moder, wie eben ein richtiges Gespenst riecht. Ein Mensch, der anderen alten Menschen Freude macht, ist kein Unhold. Unhold, so nannte Mutter die Kerle, vor denen man sich in acht zu nehmen hatte.

Von nun an saß Bernhard jedesmal, wenn er nachts alleine zu Hause war, auf der Treppe und wartete auf den Alten. Der Junge nahm eine Kerze mit, damit sie nicht im Dunkeln sitzen mußten, wenn das Treppenlicht ausging. Der Alte erzählte viele Geschichten. So wie Bernhards Großvater ihm Geschichten erzählte, und doch wieder anders. Die Geschichten des Mannes, der Zeitungsausträger war, spielten in anderen Welten. Da gab es keine Kriege und keine bösen Menschen, sondern Elfen, die an Waldweihern tanzten und lachten, während der Mond ihnen zusah. Da spielten Kobolde ihre Streiche, und die Tiere konnten sprechen. Der Alte erzählte von Sternen, die weit hinter dem Mond lagen, und von

Wesen, die dort lebten. Nie kam ein böses Wort über seine Lippen.

Egal, welches Wetter draußen war: Der Alte hatte immer gute Laune. Auch wenn er tropfnaß durch den Regen stiefeln mußte, die Zeitungen sorgsam in eine Plastiktüte gewickelt, einen alten Schlapphut tief ins Gesicht gezogen, den Mantelkragen hochgestellt. Als es überraschend ein paar kalte Tage gab und alle froren, als ein tückischer Wind um die Hausecken pfiff, lachte der Alte nur und rieb sich die Hände.

Einmal fragte Bernhard, warum der Alte in so abgetragenen Klamotten herumlief. Da erzählte ihm der Mann, daß die Frau, die ihm früher seine Kleider genäht hatte, längst gestorben war, wie auch der glatzköpfige Schuster, der ihm seine Schuhe reparierte. Für neue Sachen hätte er aber einfach kein Geld, und die alten täten auch noch ihren Dienst. Da wollte ihm Bernhard sein Sparschwein opfern, damit sein Freund sich neue Sachen kaufen konnte. Doch der Alte lehnte ab. Vielleicht würde er bald keine neuen Sachen mehr brauchen. Dann stand er auf, warf beim Nachbarn noch eine Zeitung ein und ging wieder hinaus in die Nacht.

Bernhard wußte noch immer nicht, wer der Mann war, der Zeitungen austrug, und woher er kam. Aber sein Großvater hatte ihm doch einmal gesagt, man müsse nicht alles wissen, um glücklich zu sein. Bernd wollte glücklich sein, und deswegen wollte er auch nicht mehr so sehr alles über den Alten wissen. Trotzdem, wenn er mit seinen Eltern draußen vor der Stadt spazieren ging, schaute er sich um, ob er nicht irgendwo den Alten sehen würde. Der hatte doch erzählt, daß er den Leuten von draußen vor der Stadt Blumen mitbrachte.

Bernhard war sicher, daß der Alte nicht in der Stadt wohnte. Menschen oder Gespenster wie er wohnen nicht in normalen Städten. Die wohnen zum Beispiel in London, wo auch Mary Poppins und Peter Pan herkamen. Möglich, daß er sogar ein Bruder des Mannes im Mond war und mit dem Segelschiff von Peter Pan zur Erde fuhr. Wenn der Mann nun draußen vor der Stadt wohnte, dann würde Bernhard seinen Freund vielleicht nie treffen. Dieses Draußen war so groß, daß Peter nie alle Ecken und Winkel hätte absuchen können. So gab er sich Mühe, so schwer es ihm auch fiel, dieses Geheimnis ein Geheimnis bleiben zu lassen. Und er traf den Alten nur, wenn Geisterstunde war, die Eulen lautlos über die Häuser flogen und die Katzen über die Dachziegel und Hinterhöfe schlichen.

Der Sommer war vorbei, und der Herbst färbte die Blätter an den Bäumen. Die Menschen holten wieder ihre warmen Kleider aus den Schränken. Auf den Wiesen blühten die Herbstzeitlosen, und der Wind blies Altweibersommer durch die Luft. Die Eissalons schlossen ihre Türen. An den Straßenecken stellten die Maronibrater ihre Öfen auf. Und mit dem Herbst rückte auch der Tag näher, an dem Bernhard das erstemal in die Schule gehen würde.

Aufregung und Verwirrung gab das. Neue Sachen mußten gekauft werden. Ein Schulranzen, Hefte und Stifte, ein Füllfederhalter und ein Radiergummi. Als es dann so weit war, steckte Bernds Mutter ihn in seinen Sonntagsanzug, band ihm eine von Vaters schönsten Krawatten um und drückte ihm eine riesengroße bunte Schultüte in die Hand. Er mußte vor der Kamera für ein Foto fürs Familienalbum lächeln, und dann gab's noch eine herrliche Kakao-Jause. Der erste Tag und all die Aufregungen gingen vorbei. Auch der zweite und der dritte. Nach einer Woche hatte sich Bernhard an die Schule gewöhnt. Hatte beschlossen, erst einmal gerne dorthin zu gehen.

Aber über all diesen Aufregungen hatte er seinen Freund vergessen. Schon lange nach dem Schulbeginn träumte er von ihm eines Nachts, als er unruhig schlief. Zuerst sah Bernd Schultüten, in denen nur Kohlestücke und Spinnen waren. Sah Lehrerinnen, die auf Drachen durch die Schule flogen, und Lastautos, die nicht weiterfahren konnten, weil quer über die Straße schwarze Schultafeln standen. Und dann kam der Mann, der Zeitungsausträger war.

Durch alle die häßlichen Dingen hindurch zog der sein Wägelchen, murmelte vor sich hin. Bernd konnte nicht hören, was er sagte, aber zum erstenmal sah er den Alten traurig, und aus seinen sonst so lustigen Augen rannen dicke Tränen. Er sah aus, als sei er müde. Seine Schritte waren langsam und unsicher, als müsse er sich jeden Moment hinsetzen und ausruhen. So kannte Peter den Alten nicht. Wo war seine gute Laune geblieben, wo sein Frohsinn, wo waren die Märchen, die er in den vielen Nächten erzählt hatte? Da hörte der Junge, wie der Alte seinen Namen rief, ganz leise: »Bernd, Bernd . . .«

Dann plötzlich war der Alte verschwunden. Bernhard stand auf einem Friedhof. Viele Menschen drängten sich um ein Grab. Der Wind raunte durch die kahlen Bäume. Auf den Ästen saßen Vögel, die froren, und es sah aus, als würden sie weinen. Bernhard wollte wissen, wer zu Grabe getragen worden war. Er erinnerte sich an die Worte des Alten: Vielleicht bald schon würde er keine Kleider und Schuhe mehr brauchen. Hastig drängte er sich an den Menschen vorbei. Die waren ärgerlich, schimpften, weil er sie in ihrer Andacht störte. Da erkannte er den Polizisten von der Ecke, den Gemüsehändler und den Hausmeister. Er wunderte sich, was die alle dort wollten.

Dann sah er ein frisches Grab. Auf dem Hügel lagen tausend weiße Nelken, und als Bernhard genau hinsah, bemerkte er, daß sie aus Zeitungen gemacht waren. Da rannen auch ihm die Tränen über die Wangen, und seine Knie wurden schwach. Er wußte nun, daß dort sein Freund, der Zeitungsausträger, begraben wurde.

Hilfesuchend sah der Junge sich um, aber keiner tröstete ihn. Nicht der Bürgermeister, der die Grabrede gehalten hatte, nicht der König, für den er königlicher Obsttransporteur gewesen war. Auch nicht Mary Poppins und Peter Pan. Nicht die vielen alten Leute, die Kuchenstücke in der Hand hielten. Verzweifelt lief Bernd von einem zum anderen. Aber alle waren unbeweglich wie Wachsfiguren.

Da entdeckte er in der hintersten Reihe seinen Vater. Schnell drängte er sich an den Figuren vorbei und sprang seinem Vater um den Hals. Er stammelte vor sich hin, weil er Freudentränen weinte und doch traurig war. Sein Vater fragte ihn, ob er schlecht geträumt habe – da merkte Bernhard, daß er gar nicht auf einem Friedhof war, sondern in seinem Bettchen. Sein Vater saß neben ihm und strich ihm sanft über das Haar. Als sein Vater wieder gegangen war, lag Bernhard noch lange wach und dachte an den Alten und an seinen seltsamen Traum.

Bernd hatte seinen Freund vernachlässigt. Wegen der Schule und der vielen neuen Dinge, die er gelernt und erlebt hatte. Aber das war keine Entschuldigung dafür, daß er seinem Freund nicht erklärt hatte, warum er jetzt nicht mehr vor der Türe sitzen und auf ihn warten konnte. Keine Entschuldigung dafür, daß er nicht einmal einen Zettel vor die Türe gelegt hatte. Nichts hatte er unternommen, und sicher war ihm der Alte jetzt böse. Er nahm sich vor, dem Alten so schnell wie möglich alles zu erklären und ihn um Verzeihung zu bitten.

Aber dann vergaß Bernhard seinen Vorsatz doch wieder. In der Frühe stand er auf, nahm seinen Ranzen und ging in die Schule. Dort saß er dann und sperrte Augen und Ohren weit auf, um nichts zu verpassen, was die

Lehrerin erzählte. Dann machte er seine Schulaufgaben und ging auf den Spielplatz oder saß vor dem Fernseher. An den Alten dachte er nicht mehr.

Eines Nachts blies der Herbstwind, als wolle er mit aller Gewalt den Winter vom Nordpol holen. Er blies so stark, daß er die letzten und auch die allerletzten Reste des Sommers aus den hintersten Ecken der Stadt trieb. Am Himmel jagten Wattewolken wie wildgewordene Schiffe am Vollmond vorbei. An den Fenstern rüttelte er, und die Schornsteine stöhnten. Unruhig wälzte sich Bernhard in seinem Bett und wurde schließlich wach von der Unruhe draußen. Er hatte vergessen, die Vorhänge zuzuziehen, und der Mond schien ihm voll ins Gesicht. Er versteckte seinen Kopf unter dem Kissen, aber ihm war, als würde jemand ihn beobachten.

Jetzt schlug die Kirchturmuhr zwölf. Bernhard richtete sich in seinem Bett auf und wußte nicht, wieso er Angst hatte. Draußen war auf einmal alles still geworden. Kein welkes Blatt knisterte, und die Hausmauern knackten nicht wie sonst. Die Stille war plötzlich da mit dem letzten Schlag der Uhr. Dann hörte er ein vertrautes Geräusch. Das Wägelchen des Zeitungsausträgers holperte über das Straßenpflaster. Aber nicht munter wie damals, sondern langsam, traurig. Freudig sprang Bernhard aus dem Bett und lief ans Fenster. Jetzt hatte er keine Angst mehr, sein Freund war da, und er wollte ihn sehen.

Er drückte seine Nase an der Fensterscheibe platt. Tatsächlich, dort unten ging der Alte mit seinem bepackten

Wägelchen. Aber in dem Augenblick, als Bernhard ihn sah, begann der Wind wieder zu blasen. Zuerst ganz sanft, als wollte er die welken Blätter, die er noch liegen gelassen hatte, in den Schlaf wiegen. Dann stärker, die Blätter mußten tanzen, und bald hetzten sie durch die Straßen. Der Wind zerrte an den Zeitungen, die der Alte unter den Arm geklemmt hatte, und an der Plane, die über das Wägelchen gespannt war. Sein Mantel flatterte wild im Wind. Der Hut flog ihm vom Kopf, seine Haare wurden zerzaust. Der Mond tauchte die Szene in gespenstisches Silbergrau.

Der Wind wurde immer stärker. Der Alte mußte sich ihm entgegenstemmen, kam nur mühsam vorwärts und dann gar nicht mehr. Er stand schräg im Wind, hatte zornig seine Faust gehoben und schimpfte vor sich hin. Bernd erschrak und trat einen Schritt vom Fenster zurück. Ihm war, als hätte der Mann ihn beschimpft, die Faust zu dem Fenster erhoben, hinter dem er stand. Hätte er denn nicht recht gehabt, auf ihn böse zu sein? Vorsichtig und beschämt, aber doch von Neugierde getrieben, lugte Bernhard wieder auf die Straße.

Der Wind blies noch stärker. Der Alte hatte die Zeitungen, die er unter dem Arm getragen hatte, fallen lassen. Er hatte sich über das Wägelchen gelegt, damit der Wind nicht alles forttrug. Seine Hände klammerten sich zittrig an die Räder. Seine Augen hatte er weit aufgerissen. Es sah aus, als wolle er um Hilfe rufen wie ein Ertrinkender. Am liebsten wäre der Bub hinuntergelaufen, um dem Alten zu helfen. Er wollte ihn mitsamt seinem Wägelchen in sein Zimmer holen und ihn bitten zu warten, bis sich der Sturm gelegt hatte. Er würde ihm auch eine warme Suppe kochen und ein Glas Wein hinstellen. Ja, er wollte sogar für ihn die Zeitungen austragen, nicht nur heute, sondern immer. So leid tat ihm der Alte.

Ein heftiger Windstoß riß die Plane vom Wägelchen. Der Alte griff nach den Zipfeln, hielt sie fest. Da wurde der Wind noch stärker, und plötzlich hob der Alte vom Boden ab. Der Wind bauschte die Plane, als wäre sie ein Segel, und trieb sie mit dem Zeitungsausträger immer höher. Erschrocken rieb sich Peter die Augen. Da flog tatsächlich sein Freund durch die Luft, hinauf zum Mond, vorbei an den Schäfchenwolken. Und um ihn herum flatterten die vielen Zeitungen, die aussahen wie tausend Sterne, wie Schneeflocken, wie fliegende Schwäne oder wie tausend weiße Nelken.

Dann war der Zeitungsausträger verschwunden, und nun hörte auch der Sturm zu blasen auf, wurde zum Wind, zum Lüftchen, das die welken Blätter wieder in den Schlaf wiegte. Traurig zog Bernhard die Vorhänge zu und tappte in sein Bett zurück. Während er einschlief, rannen ihm leise die Tränen über die Wangen.

Am nächsten Morgen wachte Bernhard traurig auf. Er erinnerte sich an die letzte Nacht, wußte aber nicht, ob er geträumt hatte oder ob alles tatsächlich geschehen war. Gewiß war für ihn nur, daß er nicht draußen vor der Tür auf seinen Freund gewartet hatte so wie früher. Er hatte auch nicht mit ihm gesprochen. Und plötzlich war er ganz sicher, daß er den Alten nie wiedersehen würde. Er rührte sein Frühstück nicht an, wickelte zwei Butterbrote in Papier und ging traurig zur Schule.

Auf dem Schulweg blieb er plötzlich wie angewurzelt stehen. In einer Hauseinfahrt lag umgeworfen und leer das Wägelchen des Alten. Also mußte doch wahr sein, was er in der Nacht erlebt hatte. Wieder war er den Tränen nahe. Bernd rannte zur Schule. Zum erstenmal saß er unaufmerksam in der Schulbank. Die Lehrerin wollte mit ihm schimpfen, doch als sie seine Tränen sah, fragte sie ihn, was denn los sei. Aber er wollte ihr keine Antwort geben. Da schickte sie ihn nach Hause.

Lange konnte Bernhard die Sturmnacht nicht vergessen. Seine Eltern sorgten sich, weil sie dachten, er sei krank. Hatte er ihnen nicht seltsame Geschichten erzählt von einem Mann, der zum Mond geflogen war? Aber sie wußten nicht, was sie von diesen Geschichten hätten halten sollen. Je mehr sie fragten, desto mehr verschloß sich Bernhard. Zum Schluß hielten sie es für besser, ihn nicht mehr zu fragen, und Bernd redete auch nicht mehr darüber. Nur ein einziges Mal noch. Mit seinem Großvater.

Der kam ein paar Wochen später wieder einmal zu Besuch. Und er hatte wohl gemerkt, daß sein Enkel etwas auf dem Herzen hatte, über das er gerne mit jemandem gesprochen hätte. Wie auch sonst, gingen die beiden miteinander spazieren. Dann setzten sie sich in ihre Konditorei in die hinterste Ecke, wo niemand sie störte, und

Bernd begann endlich zu erzählen. So eifrig sprach er über alles, was er mit dem Mann, der Zeitungsausträger war, erlebt hatte, daß er beinahe vergessen hätte, die Sahnetorte zu essen und den Kakao zu trinken.

Er erzählte von dem erstenmal, als er den Mann gesehen hatte, von den Ängsten, die er gehabt hatte, und von der Freundschaft. Und zuletzt von der Sturmnacht. Schweigend hatte ihm Großvater zugehört und blickte dann tief in die traurigen, fragenden Augen von Bernhard.

»Vielleicht hat der Mann dort, wo er hingekommen ist, ein besseres Leben als hier«, sagte der Großvater und schneuzte sich. »Vielleicht gehört er ganz woanders hin als in diese Stadt und zu diesen Menschen. Dort, wo er jetzt ist, braucht er sicher nicht Nacht für Nacht treppauf, treppab zu laufen.«

»Aber wenn er mir böse ist, weil ich ihn nicht mehr getroffen habe?« fragte Bernd traurig.

»Vielleicht wollte der Mann, daß du ihn vergißt«, antwortete der Großvater. »Du bist jetzt älter geworden und gehst in die Schule, da ist kein Platz mehr für . . .«

»Glaubst du auch, daß er ein Gespenst war?« unterbrach ihn Bernhard aufgeregt.

Der Alte sah irgendwohin über die Tische hinweg und sagte nach einer langen Pause: »Warte ab, vielleicht wirst du einmal alt genug werden, um zu wissen, ob du in dieser Nacht, als der Mann zum Mond hochflog, geträumt hast oder nicht.«

Trotz seiner dreißig Jahre glaubt Georg Januszewski noch an Märchen und Gespenster. Und auch an Kinder.

1946 in Wien geboren, besucht er dort die Schule und bekommt gute, aber auch viele schlechte Noten. Vorzeitig verläßt er die Schule, ihn sticht der Hafer, er will die Welt kennenlernen. Er zieht durch Europa, arbeitet hier und dort, ist einmal Hilfsarbeiter, dann wieder in einem Architektenbüro, dann wieder arbeitslos – immer auf der Suche. Und so richtig zufrieden, wie er sein will, ist er aber nicht.

Bei dieser Suche wird er selbst Zeitungsausträger. Er fliegt aber nicht zum Mond, sondern bleibt hier und schreibt seine Erlebnisse auf. Georg Januszewski hat noch mehr erlebt und ist noch immer hier und wird auch noch mehr schreiben.

Märchen . . . über Gespenster . . . für Kinder.

Einband, Illustrationen und Layout:
Heinz Edelmann
© 1976 C. Bertelsmann Verlag GmbH, München / 5 4 3 2 1
Gesamtherstellung Mohndruck Reinhard Mohn OHG,
Gütersloh
ISBN 3–570–06407–7
Printed in Germany